绘声绘色 童书汇
我会爱自己（第3辑①）

（学会自我保护·懂得自我管理）

[德]克里斯蒂娜·云林 / 文　　[德]曼弗雷德·托弗文 / 图　　张清泉 / 译

我不沉迷于电子产品

青岛出版社
QINGDAO PUBLISHING HOUSE

"尼克、劳拉，你们准备好了吗？我们要出发啦。"爸爸说。

"等一下，我再打败这个对手就赢了！"尼克死死地盯着电脑屏幕。

劳拉正趴在客厅的地板上，专注地看着她最喜欢的电视节目。"可以等我五分钟吗？"她央求道，"节目正演到精彩处。"

我会爱自己（第3辑 ①）

　　"现在就得出发。"妈妈说，"你们俩已经这样待了好几个小时了。我和爸爸一会儿还有约，不能迟到，而且安娜和蒂莫还在等着你们呢。"

　　爸爸和妈妈没有时间照看尼克和劳拉，要把他们送去安娜和蒂莫家。

"糟糕，射偏了！"尼克输了游戏，"不过没关系，一会儿去蒂莫家玩电脑上的赛车游戏，比这好玩儿！"

劳拉说："我要带着掌上游戏机，在路上还能玩会儿公主游戏。"

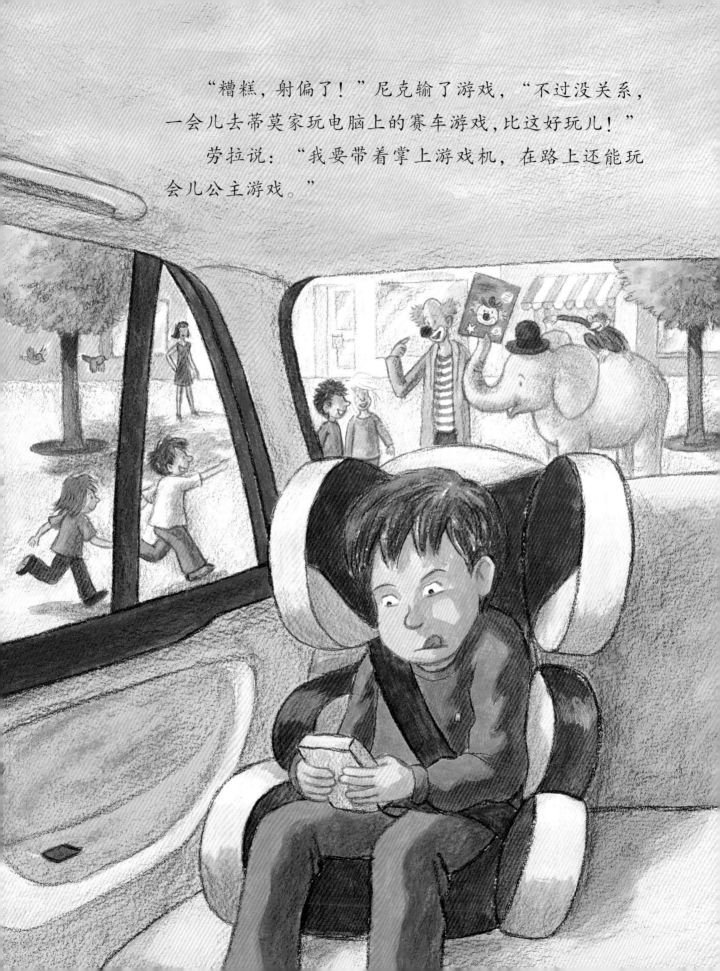

尼克也带上了自己的掌上游戏机。

尼克和劳拉一路上都沉迷于游戏，根本无心欣赏车窗外的风景。他们还期待着去安娜和蒂莫家玩最新的电脑游戏。

　　"祝你们玩得开心！"爸爸和妈妈把尼克和劳拉送到
后，就离开了。

　　尼克一见到蒂莫，就迫不及待地问："你电脑上有没
有最新的赛车游戏？"

　　"有啊。"蒂莫说，"不过，咱们今天不玩电脑游戏。"

　　尼克有些意外。

　　劳拉正要去安娜的房间玩电脑上她们都喜欢的小狗游戏，却被安娜拽住了。

　　"我们玩点儿不一样的吧。"安娜指着脚边两个鼓鼓的背包说。

　　劳拉疑惑地问："那玩什么呢？"

　　"今天是我们家的'体验日'。"安娜说，"跟我们全家一起去'探险乐园'吧！"

在路上，安娜和蒂莫向尼克和劳拉解释了什么是体验日。

蒂莫说："在我们家，谁能够连续两周遵守家里的《电子产品使用守则》，谁就能决定体验日这天做什么。当然，体验日这天，我们既不看电视，也不玩电脑游戏。"

尼克觉得不可思议，问："一整天都不使用电子产品吗？"

安娜说："是啊，而且我们也不会惦记，因为有更棒的事情可以做。比如，一起去动物园，或是玩室内寻宝游戏。有一次，蒂莫想要体验部落生活，我们全家都装扮好，围着院子里的篝火跳舞，还搭了一个帐篷呢。"

"之前去湖边的体验日也很棒，那天我还学会了游泳。"蒂莫说。

　　他们很快就来到了探险乐园。

　　尼克和劳拉从来没有来过这样的地方，场地特别大，还有很多新奇的游乐设施。

　　四个小伙伴冲向了"大船"，尼克和安娜爬上了"船帆"。

蒂莫有新的发现："那边可以造木屋，咱们一起去造吧！"

在安娜、蒂莫的爸爸妈妈的帮助下，他们成功地用木板造成了一座小木屋。大家都很开心，也都很有成就感。

忙碌过后，大家都感觉饿了，于是在草地上一边休息，一边享受野餐。

　　不一会儿，四个小伙伴就又迫不及待地去探索其他的游乐设施了。

他们找到一条轮胎索道。

"太过瘾了！"尼克双手紧握绳索，双腿夹紧轮胎，从高处呼啸而来。

他们又去了水上乐园，一起打水仗，用沙子和泥巴堆城堡、砌水坝。

"真是超棒的一天！"尼克和劳拉在回家的路上仍兴奋不已。

　　尼克和劳拉回到家以后，发现爸爸在看电视，妈妈在玩电脑。

　　"今天过得怎么样？"爸爸问尼克和劳拉，目光却没有离开电视屏幕。

　　尼克和劳拉很失望，因为爸爸和妈妈根本无心聆听他们在探险乐园的经历。

劳拉生气地对爸爸和妈妈说："难道你们非要一直坐在电脑和电视机前面吗？我们有非常重要的事情要跟你们说。"
　　"是我们不好。"妈妈说完，关上了电脑。爸爸也舒展了下身体，从电视机前的沙发上站了起来。

全家人围坐在餐桌旁，尼克和劳拉兴高采烈地描述了他们在探险乐园的经历。

　　劳拉问："如果我们也能遵守《电子产品使用守则》，是不是就可以拥有像安娜和蒂莫家那样的体验日？"

　　爸爸说："这个主意不错。不过，我们应该先制订守则。"

妈妈说："大家一起来制作守则海报吧！我和爸爸来写全家都赞同的守则条款，尼克和劳拉用图画来装饰海报，然后我们把制作好的海报张贴在一个显眼的位置上。"

　　尼克和劳拉拿来纸和笔，全家人马上行动起来。

第二天，全家人就开始执行《电子产品使用守则》了。
每个人都提前选好自己想看的电视节目。
劳拉笑着说："爸爸肯定选体育节目。"
尼克选择了动画片。

　　劳拉想看一部动物电影，正好妈妈也感兴趣，
她们就决定一起看。

　　没有想看的电视节目时，大家就按照守则关上
电视机。

　　这样，全家人看电视的时间大大缩减了。

晚饭时间，一家人围坐在餐桌旁，边吃边聊天。

吃饭的时候不使用电子产品，这也是守则中的一条。

"今天在幼儿园过得怎么样？"妈妈问。

"我和安娜画了手指画，挺有趣的。"劳拉说。

"我和蒂莫在积木角堆了一座很高的塔，可惜最后塌了。"
尼克说。

　　一家人还约定好晚上临睡前也不使用电子产品。

　　爸爸对尼克和劳拉说："等你们上床以后，我给你们读一个睡前故事。"

　　尼克和劳拉听到爸爸的话后很开心。

周末，蒂莫来找尼克玩电脑上的赛车游戏。他迫不及待地走进尼克的房间，却没找到原本在这儿的电脑。

　　原来，按照守则，大部分的电子产品都被集中放到单独的房间了。

尼克说："我们玩摸得到的赛车玩具吧！咱们先把赛道搭建起来。"

他们发现赛车玩具比电脑游戏更好玩儿。

　　第一个体验日的前一晚，劳拉兴奋地说："好期待明天的活动啊！咱们去游泳吧！"

　　"不如去参观骑士城堡！"尼克说。

"你们不问问我和妈妈的意见吗?"爸爸笑着问。

"那你们也说说看嘛。"劳拉说。

尼克调皮地反问:"可是,你们严格遵守咱们家的《电子产品使用守则》了吗?"

图书在版编目(CIP)数据

我会爱自己. 第3辑. 1, 我不沉迷于电子产品 / (德) 克里斯蒂娜·云林文 ; (德) 曼弗雷德·托弗文图 ; 张清泉译. —— 青岛 : 青岛出版社, 2020.7

ISBN 978-7-5552-9175-6

Ⅰ. ①我… Ⅱ. ①克… ②曼… ③张… Ⅲ. ①儿童故事 – 图画故事 – 德国 – 现代 Ⅳ. ①I516.85

中国版本图书馆CIP数据核字(2020)第070702号

Author: Christine Jüngling
Illustrator: Manfred Tophoven
Title: Nur noch fünf Minuten!
Copyright © Annette Betz in der Ueberreuter Verlag GmbH, Berlin 2011
Chinese language edition arranged through HERCULES Business & Culture GmbH, Germany
All rights reserved.
山东省版权局著作权合同登记号　图字：15-2018-180号

书　　名	我会爱自己（第3辑 ①）·我不沉迷于电子产品	
文　　字	〔德〕克里斯蒂娜·云林	
绘　　图	〔德〕曼弗雷德·托弗文	
翻　　译	张清泉	
出版发行	青岛出版社	
社　　址	青岛市海尔路182号（266061）	
本社网址	http://www.qdpub.com	
团购电话	18661937021　0532-68068797	
策划编辑	谢　蔚　刘怀莲	
责任编辑	崔　晨	
装帧设计	阅优文化传媒	
印　　刷	青岛乐喜力科技发展有限公司	
出版日期	2020年7月第1版　2020年7月第1次印刷	
开　　本	16开（850mm×1092mm）	
印　　张	11.5	
字　　数	115千	
印　　数	1-10000	
书　　号	ISBN 978-7-5552-9175-6	
定　　价	98.00元（全6册）	

编校印装质量、盗版监督服务电话　4006532017　0532-68068638